Le lit de maman

Texte de
Jo Ellen Bogart

Illustrations de
Sylvie Daigneault

Texte français de Marie-Andrée Clermont

Scholastic Canada Ltd.

À mes sœurs et mon frère, Susan, Cathy et Keith.

J.E.B.

À Lise et Guy
S.D.

Les illustrations de ce livre ont été dessinées au crayon de couleur sur des feuilles de papier de différentes couleurs.

Données de catalogage avant publication (Canada)

Bogart, Jo Ellen, 1945-
[Mama's bed. Français]
Le lit de maman

Traduction de: Mama's bed.
ISBN 0-590-74311-2

I. Daigneault, Sylvie. II. Titre. III. Titre:
Mama's bed. Français.

PS8553.043M3414 1993 jC813'.54 C93-093182-3
PZ23.B64L1 1993

Édition publiée par Scholastic Canada Ltd., 123, Newkirk Road, Richmond Hill (Ontario) Canada L4C 3G5.

6 5 4 3 2 1 Imprimé à Hong-Kong 3 4 5 6 7/9

J’aime le lit de maman!
Le lit de maman est très grand.

Dans le lit de maman, les draps
sont doux et les oreillers, moelleux.
Le lit de maman sent comme maman.

J'aime
le lit de maman
le dimanche matin.
Ma grande soeur aime
le lit de maman, elle aussi. Même
Nic et Pouf aiment le lit de maman.

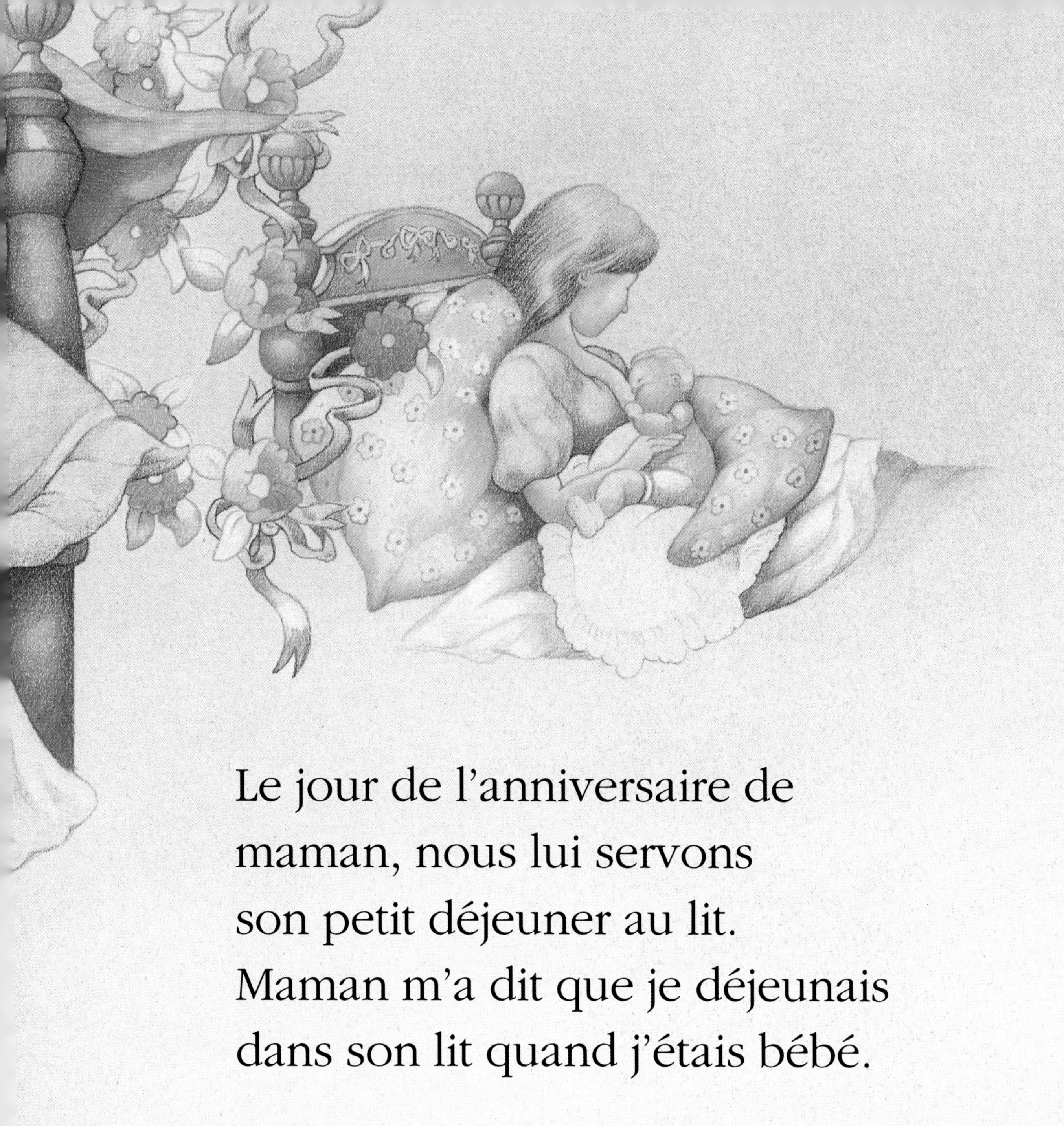

Le jour de l'anniversaire de
maman, nous lui servons
son petit déjeuner au lit.
Maman m'a dit que je déjeunais
dans son lit quand j'étais bébé.

Lorsque je suis malade, le lit
de maman me réconforte.

Quand quelque chose me fait peur,
le lit de maman
me rassure.

Lorsque je me sens triste,
le lit de maman me fait sourire.

Maman fait toutes sortes de choses dans son lit :
c'est là qu'elle fabrique mon
costume de petit ourson.

Mais quand je suis de bonne humeur,
le lit de maman a du ressort.

J'aide maman à plier
le linge propre sur son lit.

J'aime le lit de maman quand il pleut.

Maman aussi aime son lit,
presque autant que
le lit de grand-maman.